걸어가다

머리말

　디지털 포렌식을 공부하다 보니 사회관계망 서비스를 알아야 했다. 처음에 트위터를 해봤다. 트윗을 날렸는데 공허했다. 그다음에 페이스북을 시작했다. 2011년 5월, 성균관대 후문에서 감사원으로 가는 길가에 떨어져 있는 진달래 꽃잎이 예뻐서 사진을 찍고 느낌을 적었다.

　일상에서 느끼는 감정을 계속 적다 보니 시의 탈을 쓴 일기가 되었다. 술 먹고 우울하면 마구 지껄이고, 사람들과 말하다가 감정이 일어나면 그대로 쏟아냈다.

　그동안 쓴 글을 읽어 보니 십여 년 동안 겪은 희로애락이 느껴진다. 같이 살아준 아내가 고맙고, 떠나가신 어머니가 보고 싶다.

　말장난도 있고, 외로움도 있고, 깨달음도 있다. 반성도 있고, 사랑도 있고, 안타까움도 있다. 분노도 있고, 다짐도 있고, 외침도 있다.

　지금까지의 삶에서 가장 변화가 많았고 많이 성장한 십여 년의 기록을 엮어 책을 만든다. 쓰레기를 만드는 것 같아 망설여지지만 조그마한 사치를 부려보고 싶은 마음이 커 책을 만든다.

차 례

잡　담

욕심

나를 지키지 못했구나!
오늘도 무너지는구나!
이기려고 발버둥 쳤으나 속절없이 지는구나!

생각만으로는 아무것도 할 수 없구나!
움직이지 않으면 아무 소용이 없구나!
몸이 마음을 떠났으니 후회만 남는구나!

남에겐 엄격하게 말하면서
나에겐 한없이 너그러워지고
수많은 핑계를 만들어서
마음마저 무너뜨리다니!

망할 놈
목숨을 이어가기 위해 너에게 접근했건만
늘어나는 몸무게로 보복하는구나!

- 밥 -

버릇없는 아이

밖에서 이러면 안 돼!
장소를 가릴 줄 알아야지!
날 죽을 만큼 힘들게 하는구나.
제~발~
그러지 마!

- 설사 -

이별

헤어지자고
내가 뭘 그리 잘못했는데
너랑 함께하면서 흰머리 얼마나 늘었는지 알아
떠나겠다고
나 어쩌라고 이렇게 추운데
덩그러니 혼자 버려두고
그래 가라
아니 가지 마라
추억만을 붙잡고 살 순 없잖아

왜 그렇게 매정하냐
망설임도 없이 가버리네
너 뒷모습은 흔들림이 없구나
난 서글픈데

흥 그렇다고 내가 죽을 것 같아
너 가면…
어떻게든 살아지겠지

절대로 혼자 살지 않을 거야
다짐해봐야 소용이 없네

잘가라
니 보다 이쁜
내년이 온다

- 12월 31일 -

너를 보내고

슬프다
어느새 사라지고 없네
그렇게 아꼈건만
달콤했던 입맞춤은 그리움을 남기고
함께했던 기억은 목마름을 남기며
비닐 쪼가리만 뒹굴고 있네
다시 만나는 그날엔 널 놓지 않을 거야

- 버터와플을 다 먹고 나서 -

유혹

너랑 함께하니 푹 쉴 수 있네
몸도 뜨거워지고 땀도 흐르네
다리부터 시작하여 등을 지나
머리를 타넘고 미간을 거쳐
입 안까지 파고드는 너의 숨결
끝내 목에 키스 자국을 남기네
숨쉬기도 힘들구나

이만 여기서 헤어지자
너무 길게 사귀면 죽을 것 같다
이제 가라

- 독감 -

마누라

옛날에는 연인이었다.
얼마 전까지 가족이었던 것 같다.
지금은 친구라 한다.
앞으로 남이라 할까 두렵다.

토요일

아침부터 설렌다.
드디어 널 만나는 날
오랫동안 기다리면서
행복한 미래를 꿈꿨다.
숨죽여 기다렸는데
오늘도 배신하고
도대체 언제까지 기다리란 말이냐!
이건 사기다.
돈만 처먹고 종이 쪼가리만 주네.

- 로또를 기다리면서 -

지옥

어~
화탕지옥(火湯地獄)인가?
땀이 주르륵 흘러내리고
고약한 냄새는 코를 마비시키네

지옥에 온 이유가 있겠지
벌을 받아야 하나?
여기에 올 정도로 잘못한 것 같진 않은데

참고 견디는 법을 배워
얼굴이 벌게지게 힘을 줘
금방 벗어날 수 있어
조금만 더 용을 써

미치겠다
왜 이렇게 힘든 거야
땀만 흐르고
견딜 수밖에 없네

으…, 성공했다.

이제 벗어날 수 있겠지

아…, 휴지가 없다.

- 무더운 여름날 변소에 갇혀 -

어 깨 동 무

해후

오랜만이네요
하얀 세월로 염색하셨네요
한 잔 드세요

참 팍팍한 시절이었지요
열심히 살기 힘드네요
이제 내려놓고 살려고요
버리는 것이 어렵네요

웃으니 좋네요
좀 더 드세요
그만 가죠

기억

만나고 헤어짐이 바람 같고
눈처럼 흔적 없이 사라진
너의 모습이 생각나지 않는다.

붙잡으려 다가가면 연기처럼
떨어져서 바라보면 안개처럼
흐릿해진 기억만 남았다.

알 수 없는 그 무언가는
사진첩에 묻어버리고
파란 하늘을 바라봐야겠다.

그냥 툭 털고 일어나
따뜻한 햇살을 느끼며
세상 속으로 걸어가야겠다.

언젠가 뒤돌아보면
그때 찍어놓은 사진이
아련한 웃음이 되어 있겠지.

음주

술 한 잔에 허물어진들
비둘기 모이를 준들
뭐~ 어때

서로를 알고
서로를 인정하며
서로를 존중하면 그뿐

끝까지 지켜낼 수만 있으면…
설혹 무너져 내린다 한들
활짝 웃으면서 사랑하면 돼

옛 친구

그는 뭘 하고 있을까?
날 기억이나 할까?
나도 잊고 살았지!
이제는 이름도 생각나지 않네.
지나가다 마주쳐도 모르고 스쳐 가겠지!
어찌할 수 없는 시간은 흐르고
기억은 희미해져 흔적만 남았는데
그땐 왜 그렇게 아팠을까?
다시 만나면 잘사느냐고 묻고 나선
할 말이 없을 것 같다.
아마 세월의 무게를 견디지 못하고
얼굴엔 주름이 여기저기 생겼을 거고
배는 튀어나왔을 거야.
웃을 때 생기는 눈가의 주름만 떠오르네.

배움

가르친다는 것은 배우는 것
안다고 느껴도 매번 새롭다.

같이 발전하는 것을 느끼면 행복하고
질문에 생각할 수 있어 좋다.

몰라도 당당하게 물어보고
서로 불완전함을 인정하며
너그럽게 받아들이면서
삶을 즐겼으면 한다.

너는 나에게 나는 너에게 스승 되고
나는 너에게 너는 나에게 제자 되어
서로 존중하면서
솔직하고 격식없이
웃으면서 우리 배워가자.

형님

형님도 세월을 거스르지 못하는군요.
소리 없이 흐르는 하얀 머리칼
흔적 없이 드러나는 주름살
시간의 나이테로 옷을 해 입으셨네요.

형님은 시간을 멋지게 타고 넘는군요
점점 짙어지는 웃음
부드럽게 들려오는 잔잔한 말
포근한 눈길로 그윽하게 바라보는 여유
세월이 지날수록 마음은 젊어지시네요.

말없이 있으면 멋있고
다가가면 따뜻하게 품어주는
몸은 힘들어도 웃고 있는
형님 존경합니다.

화합주

너와 내가 만나 하나 되는 날
서로의 벽을 무너뜨리고
소주와 맥주를 절묘하게 합쳐
화합하면서
한 번에 쭉 마셔

폭탄이라 말하지 마
터져 흩어지는 것이 아니라
함께 사는 거라고
목 터지게 소리 지르며
단숨에 쭉 들이켜

묵직하게 가슴으로
네가 아닌 내가 아닌
우리만이 아닌
모두를 위해
죽어도 같이
다 터놓고

껍데기는 벗어버리고
좀 취해도 좀 망가져도
그냥 마셔

마셔
마음으로
술이 아닌
사랑으로

큰 나무

한자리에 그대로 있으려니 힘드셨지요.
지나가는 바람에도 떨어야 했고
우악스러운 도끼눈도 피해야 했으니

묵묵히 견디면서
꽃도 피우고 그늘도 만들어
쉼터가 되어 주셔서 고맙습니다.

안달하면서 움직이는 이들이
다 죽고 사라져 가는 걸 보면서
침묵해도 이기는 걸 보여주시는군요.

곁에 있는 것만으로도
위안이 되고 힘이 되고
기댈 수 있어 행복합니다.

헛된 지껄임에 흔들리지 않고
안으로 안으로 단단해지게
당신을 따라갑니다.

후회

잘 있니
갑자기 생각났어
그때 세심하게 살피지 못해 미안해
네가 생각날 때마다 후회가 남아
살면서 아쉬운 게 별로 없지만
널 생각하면 가슴이 아파
왜 끝까지 챙기지 않았을까
지금 와서 뭔 할 말이 있겠냐만
오늘처럼 비가 추적추적 내리고
어쩌다가 술이라도 마시면
마음은 끝없이 가라앉고
울컥 눈물이 나
행복하게 살고 있었으면 해

스쳐 가기

다시는 만나지 않을 것 같았는데
바람에 스치듯 이렇게 또 만나는구나

쓰라린 상처는 가슴에 묻고
우연한 만남은 무심코 지나가네

오래된 흑백 사진처럼
마음속에 갇힌 기억은 흐릿해지고

죽을 것만 같았던 아픔은
흐르는 시간 속에 흘려 보내었구나

조금만 버티면 살아지는걸
그때는 왜 그렇게 힘들어했을까

헛소리

이봐 한잔하게
상처받으면서 일등 하면 뭐하나
그럼 행복하나
즐기면서 하지
인생 길잖아
아등바등하지 말게
그럼 지치고 빨리 죽네
옆 사람도 챙기면서 같이 살면 좋잖아
어차피 다 가지지 못할 것인데
좀 나누고 살게
자신을 잃어버리지는 말게
즐기면 일등 먹는 거야
자 한잔하면서 소리 높여
하고픈 것 맘껏 했다! 행복하다!
외쳐보세

일기

억울한 일을 당한 분의 가족을 만났다.
닭똥 같은 눈물을 흘리셨다.
차마 볼 수 없어 서류만 봤다.
어떻게 위로할 수가 없었다.

지하철을 기다리고 있는데
어떤 사람이 다가와서
노숙자인데 굶어서 배가 고프니
돈을 달라고 한다.
지갑에서 천원을 꺼내는데
한 장 더 붙어서
이천 원이 나오려 하는 걸
억지로 뜯어서 천 원만 주었다.
그냥 이천 원 줄 걸….

좋은 분을 만났다.
시간이 남아 시집을 샀다면서 주셨다.
난 뭔가를 사서

누군가에게 준 적이 없는 것 같은데
앞으론 많이 나눠주면서 살아야겠다.

술에 취해 집에 왔는데
활기찬 목소리로 집사람이 반겨준다.
사랑이 물씬 풍겨와서
많이 위안이 된다.

벗

살아 있니
전화도 꺼져 있고
갑자기 생각나 전화했는데
연락이 안되네
살아 있겠지

언제든 내 생각나면 전화해
난 여기 그대로 있어
나무처럼 어디 가지도 못하고
그냥 그대로 있어

바람이 불어 나뭇잎 떨어지듯
세파에 마음이 떨어져 가도
아직 부러질 정도는 아니니
삶이 고되더라도 연락해
같이 소주 한잔하자

잠깐 있다가는 인생인데
아옹다옹할 것도 없는데
괴롭히는 놈들이 있어 힘드네

모르겠다
그들도 이유가 있겠지
어디 가지도 못하고
넋두리만 늘어놓았네
잘 살아라

십 년

벌써 십 년이 지났다.
내 머리에도 하얀색이 조금씩 물들기 시작했다.
그땐 뭔가 이뤄질 것이라 생각하지 못했는데
씨앗을 뿌리면 싹이 움트고
스스로 자라 열매를 맺는구나.

또다시 씨앗을 뿌리면
십 년 후에 열매를 볼 수 있을까?
척박한 땅에 물만 주다가
백발만 무성히 자랄까 두렵지만
너를 믿고 물을 주면서
열매를 기다린다.

막걸리

막 마셔도 뒤탈 없는
걸쭉하면서 텁텁한 상남자 같은
이 맛으로 들이키는 거야

막살면서 흔들리면 어때
걸리적거릴 것 없이 자유롭게
이 세상에게 큰소리치면서 마셔

막역한 친구끼리 두런두런 말하다가
걸걸하게 노래도 불러보고
이렇게 어우러져 한잔해

막걸리에 파전으로 마음을 달래면
걸음새가 흐트러져도 기분은 참 좋아
이런저런 고민은 다 털어 버려

문상가는 길

개나리는 노랗게 만발하고
벚꽃은 하얗게 터질 듯
봄은 오고 있었다.

차가운 듯 바람은 불어도
따스한 오후 햇살에 스쳐 가고
사람들은 자전거를 타고 간다.

재잘거리는 손자의 재롱에
할비는 마냥 즐겁고
엄마의 말소리는 가볍다.

햇빛이 들어오지 않는
그곳은 가을이어서
국화로 인사를 대신하였다.

그날

고민과 걱정을 한 아름 안고 살고 있군요.

고민해야 해결되지 않고
걱정해도 소용없음을 알면서도
번뇌를 끊어내지 못하고
할 수 없는 것에 애태우면서
생각으로 스스로를 죽이고 있군요.

언제쯤 편안해질 수 있을까요?

그날이 오면
소소한 것에 만족하고
할 수 있는 것에 몰두하면서
할 수 없는 것에 발을 구르지 않겠지요.

그런 날이 올까요?

오대산 선재길

기억나니?
온갖 초록이 다 있던 날
봄비는 오는 둥 마는 둥 하고
갓 나온 이파리의 가냘픈 연둣빛
다 자란 잎이 내뱉는 싱싱한 향기
나무는 하늘 높이 솟아 있고
길은 참 멀었는데
힘들었던 기억은 남아 있지 않고
그저 즐겁게 걸었던 봄

그때는 걸어가던 길인데
지금은 차를 타고 가도 꽤 머네
단풍이 멋있어 사진도 찍고
군데군데 놓여 있는 다리가 예뻐
쉬었다 가는 길

그날 그 푸릇한 날은 가고
기억에 없는

동종은 유리 벽에 갇혀 있더라

푸른 젊음은 추억에 묻고
이렇게 멋진 단풍처럼
우리의 가을도 멋있었으면 해

가을비

가을은 비와 함께 왔다.
나뭇잎은 초록을 잃어버렸고
혼자 걷는 길은 낙엽만 가득하였다.

스산한 바람이 불고
옷깃 사이로 추위가 파고드니
가슴에 묻었던 이가 생각난다.

무심코 바라본 길은 허전했고
한겨울보다 더 추웠다.

아무도 없는 저 길을
너와 함께 걸었다면
이토록 춥지 않을 것 같았다

생기를 잃어가는 가을에
비는 오지 않았으면 좋겠다.

혼 자 살 기

첫눈

눈이 온다. 환영처럼
바람에 휘말려 오르다가 사라진다.
끝내 말하지 못하고 떠난
넋이 떠나지 못하고 눈이 되었나?
저 너머 그는 애틋하게 눈을 바라보는데
족쇄는 여전하여 말하지 못하고
마지막 안간힘으로 온몸을 던져보지만
창에 가로막히고
그의 온기에 알알이 물방울로 변했다가
흔적 없이 사라지네.
네가 떠나왔던 바닷속으로

다짐

그래 달려보자
바람이 불어오는 쪽을 향하여
비를 좀 맞으면 어때
뜨거운 피가 있는데

그래 달리는 거야
바람은 스쳐 가는 것
넘어지면 어때
털고 일어서지 뭐

그래 가보자
어차피 다 모르잖아
어떻게든 되겠지
죽도록 하면 될 거야

그래 해보는 거야
언제 다 준비된 적 있었나
참고 이겨내야지
지금 보다 나아질 거야

바램

잘 하고 있는 걸까?
열심히 하고 있는 것 같은데
너무 부족해서 부끄럽다.

어찌할 수 없는 상황에 나서지만
어이할 수 없는 한계에 무력하고
어쩌지 못하는 모습에 짜증 난다.

훌훌 털어 버리고
내키는 대로 살고 싶지만
스스로 옥죄어 답답하다.

저마다 자신의 길을 찾아 떠나는데
갈 곳도 없고 갈 능력도 없이
쳇바퀴에 갇혀 하염없이 돌고 있다.

다들 꽃을 피우고
독특한 향을 뿜어 내는데

그냥 말라비틀어질 것 같아 두렵다.

아무도 기억하지 않아도
땅바닥에 소박하게 깔리는 괭이밥 같은
찬찬히 뜯어 보면
나름 이쁜 삶을 살고 싶다.

꿈

갈 곳이 없다.
터벅터벅 어디를 가고 있나?
다리는 아파서 쉬어야 하는데….

잠을 잔 기억이 없으니
꿈도 없다.
몽롱한 눈동자로 그냥 걷고
넋이 빠진 몸뚱이만 남아 휘청거린다.

이대로 드러누워 꿈을 꾸고 싶은데
그러다가 죽을 것 같아
허우적거리며 또 걷는다.

짝사랑

남몰래 다가가 같이 걷다가
자판기 커피에도 웃음은 넘쳤고
흔들리는 버스에서 살며시 기대었다.

말하지 않아도 아는 줄 알았는데
스쳐 가듯 만나는 건 그리움만 남고
떨어지면 멀어지는 걸 몰랐다.

갑자기 날아온 청첩장엔
축하해 달라 하고
하얀 바탕엔 잊으라 적혀 있다.

말하지 못한 말은 아픔이 되고
억지로 웃는 얼굴은 가식이 되어
애꿎은 술만 축낸다.

바닷가

외로움에 사무치면 바다에 간다.
언제나 넉넉한 엄마 품에 안겨
엉엉 울어도 보고
이룰 수 없는 사랑에
생을 버린 인어의 전설도 듣는다.
넘을 수 없는 경계에서
파도는 춤을 추고
멍하니 바라보는 눈가에 아련함만 묻어난다.
검은 구름 사이로 붉은 해는 내려앉고
술은 마시는데 취하지 않는다.
모든 것이 정지하고 소리만 들리면
다시 살아서 돌아온다.

인어공주

다가가려 다가가려 해도
끝없는 모래에 맥없이 부서지고

그리워 그리워 외쳐도
잠겨버린 목에선
부서지는 소리만 나오는데

저기 저기에 있는 님은
다가오지 않고
보면서도 알아보질 못하네

넘을 수 없는 경계선 너머
아이들이 장난치며 폭죽놀이 한창인데

혼자 앉아 있는 저분은
날 찾으러 온 걸까?
날 잊으러 온 걸까?

독수공방

어두운 밤
홀로 들어와 불을 켜면
허공이 다가와 말을 붙이는데
너무 무서워 얼른 꺼버린다.

캄캄한 방
홀로 누워 눈을 감으면
그대의 빈자리가 너무 추워 잠들 수 없고
전화기만 만지작거린다.

검붉은 하늘
저 멀리 파도는 쉼 없이 노래하고
가물거리는 불빛은 혼자 춤을 추는데
웅크리고 누워서 어둠에 취한다.

칙칙한 바다
잠들지 못하는 이는 죽음을 떠들고
깨어난 이는 삶의 고통을 말하는데

어디에도 속하지 못하고
그저 그대만 생각한다.

뚜벅이

무거운 눈꺼풀을 억지로 부여잡고
지하철을 탄다.

빈자리를 호시탐탐 노리는데
망할~
사람들이 계속 늘어난다.

꽉 막힌 버스 보다 낫다고
애써 위안하고
피곤한 몸을 손잡이에 의지하며 눈을 감는다.

아주 비싼 차라 우겨보고
전용 차로로 씽씽 달리지만
지하 인생 벗어나고 싶다.

오르막

산더미 같은 짐을 싣고 가는 할머니
곧 무너져 내릴 것 같은 리어카
바퀴는 바람이 빠져 있다.

한 발 한 발 내딛는 것이 왜 이리 힘든지
다리는 풀려 있고
숨쉬기조차 힘들지만
어거지로 발을 들어 올린다.

자글자글 주름에는 삶이 녹아 흐르고
멈출 수 없는 오르막
차라리 손을 놓아버리면
고행이 끝날까?

질긴 인연의 실타래를 풀지 못하고
다시 한번 힘을 내는데
땀방울이 눈 앞을 가린다.

청계천

빌딩 숲에 갇힌 청계천엔
짝을 이룬 오리가 춤을 추고
왜가리는 고고한 자태를 뽐낸다.
잉어와 메기는 거슬러 올라오고
저마다 쌍쌍이 즐거운데
터벅터벅 걷는 발은 왜 이리 무거운지
혼자 가는 길이 너무 멀어
멍하니 고개를 들어 보니
눈부시게 파란 하늘에서
하얀 구름이 천천히 가라 하네.

일몰

눈을 감을 수밖에 없는 마지막 순간
모두 죽어가는데
안간힘을 써도 멈추지 않는 시간
검붉게 떨어지고
인연의 끈에 얽매여
잠깐 멈추었다가
후욱 사라져 버린다.
가버린 이는 대답 없는데
남아 있는 자의 메마른 울음만
바다를 건너 불어오네.

안간힘

길지 않은 삶
뭐를 했지?
그냥 주어지는 데로 살다 보니
여기까지 왔구나!
열심히 산 것 같지는 않지만
운은 많았던 것 같다.
변화가 많은 시절이었는데
별로 변하지 못하고
껍데기만 변해서
이제 새치라 우길 수도 없네.
이루지 못한 것을 꿈이라 하던가?
이루고 싶은 것이 없으니
꿈도 없이 사는구나!
과분한 자리에 앉아
밥만 축내고 있으니
가시방석이 바로 여기이다.
버티지 못하면 나락으로 떨어지는데
벗어날 길이 없네.

숨겨진 의식은 훨훨 날아가고 싶지만
날개가 없고
곧 부러질 것만 같은 다리로
간신히 지탱하지만
주저앉을 날이 멀지 않은 것 같아
참 서글프다.

꿔다 놓은 보릿자루

뭘 해야 할지 모르겠고
그냥 있으려니 갑갑하고
나서자니 난감하고
아무도 날 의식하지 않는데
난 몸 둘 바를 모르겠다.

어울리지 않는 곳에
어쩔 수 없이 있어야 하는데
속은 터지고
박차고 일어서자니
딸린 식구가 앞을 가린다.

벌어 놓은 것은 없고
먹고 살길 막막하여
닥치는 대로 하다 보니
되는 일 없이 마음만 어수선하다.

새 해

뭔가 해야 할 것 같은데
계획도 세워야 할 것 같은데
눈은 내리고
하염없이 바라만 본다.
손에 잡히는 것은 없고
집중할 여유도 없는데
하늘은 흐리멍덩하고
막연히 불안하다.
이끌려 갈 땐 배우기만 하면 되는데
이끌어 갈 땐 참 막막하다.
언제쯤 멍한 안개 속을 벗어나
나에게도 새 해가 뜨는지
시작도 없고 끝도 없는 수레바퀴
어디로 가는지 모르지만
새해에 마음을 묶어
열심히 굴려야겠다.

신경쇠약

온종일 날카로운 신경이 찔러오다가
어둠 속으로 숨어들고
다 떠난 자리를 무기력이 파고드는데
주저앉지도 못하고 터벅터벅 걸어간다.

저마다 바삐 흩어지고
벤치에 앉은 연인들의 웃음이 퍼지는 밤
어디에도 속하지 못하고
아무도 반겨주지 않는 방으로 기어든다.

째깍거리는 시계 소리에 잠들지 못하고
눈을 떠도 보이는 것 하나 없는데
일어나 불을 켜는 것이 귀찮아
멍하니 누워서 밤을 샌다.

사라진들 누구도 기억하지 않고
없어도 하등 달라질 것 없는데
버리지 못하고 움켜쥔 모습이 불쌍하다.

일은 숫돌이 되어
날카롭게 날을 세우고
피하지 못해 받은 상처는 아물지 않는다.

비몽사몽 간에 꾼 악몽에 식은땀 흘리고
짜증나는 알람 소리에 허겁지겁 일어나
으스스한 새벽바람에 억지로 나가야 한다.

이별

눈부신 붉은 노을이 두 눈에 맺히고
먼 산은 검푸른 그림자로 서 있는데
하얀 벚꽃은 눈이 되어 흩날린다.

소음에 묻힌 뒷모습은 흐릿해져도
바람결에 날리는 머리카락은 또렷해지고
홀로 남아 술에 찌들어 간다.

수양버들 같은 어깨에 쓸쓸함은 쌓이고
라일락 잎사귀의 쓴 맛이 익숙해질 때….
가슴 깊숙이 그리움을 묻고
마른 웃음으로 봉분을 만들어
시간으로 떼를 심는다.

하얀 꽃잎이 내리면
켜켜이 쌓여 가는 망각 사이로
네 모습이 보일듯 사라진다.

유서

온 곳으로 돌아가는 것일 뿐인데
슬퍼하지 말게
감나무 밑에 드러나지 않게
아무것도 없이 묻어 주고
내가 생각나거든 물이나 주게
흔적은 다 지우고 추억이 남아 있으면
모여서 즐겁게 말들 나누게
쓸만한 게 있으면 나눠 가지고
돈 되는 게 있으면 필요한 곳에 주게
운이 많아 행복하게 살았으니
안타까워하지 말게

은행잎

가슴이 먹먹하여 하늘을 보니
구름 사이로 달이 걸려 있고
아련히 떠오르는 웃음이 슬프다.

어쩌지 못하고 스스로를 가두어
잠을 이루지 못하고
달을 벗 삼아 술을 마신다.

가로등 불빛에 은행잎은 물들고
몸을 날려 바람을 타니
붙잡을 수 없다.

혼자였으면 외롭기만 할 텐데
같이 있다가 떨어지니
가슴이 아파 숨쉬기가 어렵다.

하루

하루가 가네
붙잡으려 허우적거려도
담배 연기마냥
아무것도 없이

하루가 가네
헉헉거리며 출근하고
쉬지 않고 회의하며
이루는 것 하나 없이

하루가 가네
돈줄에 목이 멘 일개미가 되어
사장이 시킨 대로
아무런 변화도 없이

하루가 가네
다가오는 퇴직을 두려워하며
어떻게든 살아보려 눈치 보며
알량한 자존심도 없이

산길

숨은 턱 밑까지 차오르고
흘러내린 땀방울이 눈을 찌른다.
얼마쯤 가면 되냐 물으면
쬐끔만 더 가면 된다 하는데
우불텅구불텅 구부러진 길
그늘져 한갓진 바위라도 있으면 좋으련만
가도 가도 끝날 것 같지 않다.

쉬엄쉬엄 가 볼까.
풀 사이에 숨어 있는 꽃도 보고
바람과 물의 반주에 맞춰
새가 불러주는 노래를 들으면서
은은히 풍겨오는 꽃향기에 취해
얼씨구절씨구 엉덩이 흔들면서
가볍게 걸어 볼까.

휘돌아 사라질 듯 살며시 보이는 길
숨조차 쉴 수 없는 포장도로가 아니고

비가 오면 질척거리긴 해도
푹신한 흙이어서 좋다.
꽉 막힌 정글도 막막한 사막도 아니어서
천천히 걸을 수 있어 좋다.

앞서간 이를 따라가다 보면
날 위해 쌓은 돌무덤 있어
널 위해 자그마한 돌멩이 하나 올리고
걸어 온 길 돌아보면
저렇게 아름다운걸
바라볼 여유도 없이
그냥 온 게 아쉽다.

고장 난 기계

타오르던 정열은 꺼지고
무거운 짐만 쌓인다.

터져버린 풍선
흩날리는 비닐 쪼가리
빈 껍데기만 남아
영혼 없는 육신은 기계가 된다.

쉼 없이 돌리다가
하나둘 고장 나고
갈아 끼울 부품이 없어 폐품이 된다.

언제 버려질는지

황혼

늙어가는 걸까? 죽어가는 걸까?

총알 같은 세월이 머리에 부딪혀 오고
쉴 새 없이 쏟아지는 일은 대충 처리하는데
창밖 나무는 예쁘게 단장하고
어서 오라 유혹하네

가슴 속 불꽃은 맹렬히 타오르고
심장은 열심히 북을 치는데
헉헉거리는 숨소리에 놀라고
생각은 달리는데 몸은 걷고 있네

마지막 순간까지
한결같은 자세로 꼿꼿이 서 있다가
민들레처럼 바람결에 사라지고 싶은데
티끌 하나 남김없이 사라지고 싶은데

김밥

이른 아침 지하철 입구
안녕하세요! 김밥 있습니다.
허스키한 목소리가 바쁜 발을 붙잡는다.

아줌마는 일찍 일어나
따뜻한 김밥을 팔려고
어디서 새벽길을 달려 왔을까?

김밥 한 줄로
허기를 달래면
주름진 얼굴엔 웃음이 핀다.

의복

언제부턴가 의복을 생각하게 되었다.
결혼식장에서 나만 양복이 아니었을 때
그때부터였던 것 같다.

가슴에 꽃을 다는 것만 빼면
이젠 정장이 어색하지 않다.

편하고 좋은 옷이 많은데
멋 부리고 불편해야 하는 이유는 뭘까?

아무도 나를 바라보지 않는데
스스로 만든 틀에 갇혀
비 오는 날 양복을 꺼내 입는다.

반바지에 쓰레빠 끌며
맘껏 다니는 사람들이 부럽다.

재즈바

끈적한 음악이 흐르고
몸은 저절로 흔들린다.

지친 영혼은 잠시 앉아 쉬고
갈 곳 없는 마음을 술이 달랜다.

지나가는 소나기를 피하려 들어 왔는데
이대로 사라져도 아무도 모를 것 같다.

시계는 혼자 가고
재즈는 뜻 없이 들린다.

매미는 죽고 귀뚜라미 우는 밤
사람들은 각자 생각에 잠겨 있다.

검은 옷을 입은 사람이 손짓하는데
누군지 모르겠다.

따라 갈까?
집으로 갈까?

기다리는 가족이 있는 집으로
서둘러 가야겠다.

혼자 살기

혼자 밥을 먹기 싫어 굶었다.
배가 고프다고 꿍얼거린다.
배를 달래려고 물을 마셨다.

술은 혼자 마시지 못했다.
마냥 걷기만 했다.
찬바람이 모질게 달려든다.

말하다 보니 다들 가버리고 혼자가 되었다.
말하러 가려다 흠칫 멈춘다.
괜히 잔소리만 할까 봐 망설여진다.

다가오는 이는 뒷덜미를 아프게 하고
다가가야 하는 곳은 가기 싫다.
혼자 있는 게 좋다.

혼자 흥얼거리니 재밌다.
괜히 우스워서 히죽거렸다.

갱년기

조금만 슬픈 장면에도 눈물이 나
음주 운전 사고로
휴가 나온 군인이 뇌사라는 말에
그 군인이 고대생이라는 말에
장기 기증이란 말에
눈물이 주르륵 흘러

누가 남자는 세 번 운다고 했나
이제는 매일 우네
엄마 얼굴에 맺힌 주름에
다 큰 아이의 무례함에
혼자 먹는 밥알에
눈물이 섞이는 것을

여자의 눈물이 아니라
내 눈물을 닦기 위해 손수건을 준비하는 나이
아무것도 슬프지 않을 나이에
소리 없이 내리는 가을비가 서글퍼 우네

22시의 자화상

터벅 터어벅 터벅
팔자걸음으로 천천히 걸어온다.

바지 주름은 희미하고
구두는 닦은 적이 없다.

바지춤은 배꼽 아래로 흘러내리고
삐져나온 와이셔츠는 헝클어진 머리칼과
어울린다.

바지 위 단추는 터질 듯 매여있고
넥타이 매듭 위 단추는 풀려 있다.

턱 밑 털은 너저분하고
코 밑으로 삐죽이 내민 털은 안쓰럽다.

살짝 올라간 입꼬리와 미세한 눈웃음은
봐줄 만한데

벌건 얼굴과 처진 어깨는 영 아니다.

터벅 터어벅 터벅
팔자걸음으로 천천히 걸어간다.

기러기

왁자지껄한 저녁 자리를 마치고
각자 제 갈 길로 흩어질 때
참 막막하네
이제 어디로 가야~하나

아? 집이 있었지
아무 버스나 타고
무심코 거리를 내려다보니
다들 무표정한 얼굴로 바쁘게 가네

나도 바빴던 것 같은데
흐트러진 머리에 하루가 쌓이고
몸은 지쳐 매가리 없는데
헛헛한 마음은 어디서 오나

온기 없는 컴컴한 방에 잠시 누웠다가
찬밥 녹여 허기를 달래고
애써 웃음 지으며
해야만 하는 일에 매달릴 수밖에

겨울비

앙상한 나무 사이로 난 오솔길
쌓여 있는 낙엽

두두득 두두득 툭 투득
겨울엔 비가 참 쓸쓸하다

잔뜩 웅크린 채로
눅눅한 낙엽을 멍하니 보다가
빗방울에 놀라 발걸음을 재촉한다

뺨을 얼리는 바람이 불든지
매정한 싸라기가 내리든지
따뜻한 함박눈이나 올 것이지

혼자라서 추운가
비가 와서 외로운가

투득 투득 두두득 투득
겨울엔 비가 참 허허롭다

하루가 간다

가기 싫은 출근길
하품과 함께 어거지로 간다.

상사의 질책과 신입의 아우성 사이로
참고 견디면서 간다.

일이 몰려 점심도 굶어가면서
지쳐 간다.

얻지 못할 도움을 요청하면서
성질부리며 간다.

생각지도 못한 성과에
감사하면서 간다.

별것도 아닌 것에 열을 내며
쌍욕 하면서 간다.

코로나에 목숨 걸고 술 마시면서
비틀거리며 간다.

웃으며 반겨주는 가족을 보면서
흐뭇해하며 간다.

버리기

책을 버렸다.
먼지만 뒤집어쓰고 책장만 차지한
언젠가 볼 거라고 마음먹었지만
한 번도 꺼내 보지 않은 책을 버렸다.

너저분하게 널려있는 것을 버렸다.
움켜쥐고 있지만 사용한 적 없는
언젠가 쓸모 있을 거라 생각했지만
한 번도 사용한 적 없는 잡동사니를 버렸다.

온갖 생각들은 버리지 못했다.
버리려 할수록 더 들러붙어
잠을 설치게 하고 피곤에 찌들게 하는
근심, 걱정, 분노, 욕심
온갖 번뇌는 버리지 못했다.

켜켜이 쌓인 인연은 버리지 못했다.
원하건 원하지 않건 살다 보니 만난

질긴 인연의 끈을 놓지 못하고
지친 몸을 이끌고 만나러 간다.

다 버리는 날이 올 수 있을까?
스스로 버릴 수 있을까?
억지로 버려질까?
마음이 가는 것은 어찌하지 못하였다.

삼도천

여기가 끝인가
쉼 없이 달려온 길
가도 가도 끝나지 않을 것만 같았는데

여기만 넘어가면 저 세상
붙잡아야 할 것 하나 없는데
다 털어 버리고 넘어갈까?

뒤돌아설까?
여기까지 온 게 너무 힘든데
지긋지긋한 곳으로 다시 가야 하나!

여기서 이대로 사라진들
아무도 기억하지 않고
그냥 잊혀지겠지

여기처럼 저 세상도 복잡할까?

인생길

휘돌아 감겨돌며 사라질 듯 이어지는
가다 보면 비틀어져 엉뚱한 곳을 향해도
모퉁이 돌아서면 꽃이 피어 있고
비지땀 흘리며 천천히 걸어가면
시원한 바람이 흥을 돋우고
뒤뚱거리며 쉬엄쉬엄 가는 길

피맛길

종로에 늘어선 건물 뒤
자동차 소음을 피해 들어서면
담배꽁초로 너저분한 길

거드름 피우는 양반을 피해
숨 막히는 말발굽을 피해
다니던 길이었다고 한다.

허기진 서민들이 식사하고
자유롭게 담배를 피우다가
제 갈 길 가는 골목길

후줄근한 옷차림으로
허부적거리며 걸어도 좋고
술에 취해 비틀거려도 좋다.

막다른 길인가 보면 이어지고
구불텅 휘어져도 앞으로 가는

우리네 삶을 닮은 골목길

아기자기 예쁜 것은 없어도
누구든 반겨주고 웃어주는
푸근한 아줌마 같아 좋다.

곡두

바람이고 싶다.
흔적 없이 왔다가 소리 없이 가는
초여름 꽃향기처럼 왔다가
늦가을 낙엽과 함께 스쳐 가는
바람이고 싶다.

구름이고 싶다.
없는 듯 있다가 어느덧 가고 없는
파란 하늘 솜사탕처럼 있다가
저무는 하늘을 붉게 물들이는
구름이고 싶다.

불꽃이고 싶다.
형체 없이 이글거리다 사라지는
따스한 온기만 던져주고
제 몸을 태우다가 훅 가버리는
불꽃이고 싶다.

마음이고 싶다.
말없이 챙겨주고 묵묵히 바라보는
모든 것을 다 주고
사랑만 남겨 불꽃처럼 타오르는
마음이고 싶다.

사막

모든 것이 멈춰버린 바다
모래 물결 위에
덩그러니 홀로 남겨진 날

어디로 가야 할지
무엇을 해야 할지
아무 생각도 못 하고

불안한 마음에
허둥지둥 헤매다가
털썩 주저앉는다.

어디선가 들려오는 바람 소리에
태양으로 방향을 잡고
쉼 없이 가는 길

모래 먼지가 입속에서 씹혀도
남아 있는 물을 아끼려

끝까지 버티면서

바람만 가득한 침묵의 바다에서
고집 센 낙타를 다독이며
님을 찾아가는데

아무것도 없어 보이는 저곳
지평선 너머에 꿀이 흐르는
낙원이 정말로 있는 것일까?

토요일, 동대문에서 광화문까지

걸었다. 삶을 본다.

우산을 쓰고 앉아
멍하니 세상을 바라보는 노숙인

더 가까워지고 싶어
둘이 하나 된 연인

아무도 듣지 않는데
불신 지옥을 외치는 광신도

토요일에 동원되어 비를 맞으며
거리를 통제하는 경찰관

정의 사회를 만들겠다고
일방적인 주장만 외치는 시위대

지켜보기만 해도 예쁜

마냥 즐거운 아이들

비틀거리며 걸어가는 길에서
무기력
사랑
열정
고생
분노
행복을
모두 본다.

꽃

동백

스스로 목을 잘라 숨을 끊어내는 운명
너무 아파서 붉게 물들고

아쉬움 하나 남기지 않고
바람결에 싹둑
대지를 적시네

겨울 참혹함을 혼자 견디고
더 있어도 될 것 같은데
스스로 다짐한 모습으로 가네

봄

눈부신 목련이 떨어져 내린 날
소리 없이 젊음은 스러지고
햇볕은 뜨겁다.
연분홍 참꽃은 알알이 핏방울 아로새기고
벚꽃은 눈이 되어 휘날리는데
속이 텅 빈 껍데기는 스스로 타들어 간다.
이렇게 죽어가는 봄은 오지 않았으면 한다.

봄비

목련은 흐드러지게 피고
추위는 갔지만
곧 썩어 문드러지면서
살아남으려 발버둥 치는
안간힘을 보게 되겠지….
화려한 뒷모습이 왜 이리 구차한지
차라리 피지 않았으면
초라하지 않을걸….
저물어 가는 것도 노력해야 하거늘
얄팍한 봄비에 소리 한번 못 지르고
누렇게 썩어갈 것 같아 애달프다.

접시꽃

가벼이 움직이지 않고
당당하게 서서
올곧게 자신을 지키며
죽을 것만 같은 폭염에
너저분하게 바닥을 기는 자들을
허리 곧추세우고 내려다본다.

가슴에 달려 있는 훈장은
화려하지도 속되지도 않고
검은 두루마기 입은 선비 같다.

스스로 세운 틀에서
벗어나려는 날 붙잡으려
널 뜨락에 심어야겠다.

세상 속에 안주하려는
날 지켜다오.

꽃샘추위에 핀 참꽃

햇빛은 연분홍 꽃잎으로 피는데
비바람은 얼굴을 할퀴고
추위는 살갗을 파고드네
그냥 내버려 두기만 해도 되는데
뭐가 그렇게 샘나
있는 그대로 바라보지 못하고
죽어라고 달려드느냐
멍든 마음마저 안으로 감추고
알알이 붉은 방울로 영글어서
가까이 다가갈수록 아름답구나
언제쯤 모든 핍박에서 벗어나
따뜻한 햇살 품에 안겨
빛날 수 있을런지
그땐 생을 마치고
흔적만 남아 대지를 떠돌고 있겠지
그래도 푸른 이파리는 무성히 자라
세월을 앞서간 널 그리워할 거야

축대에 핀 초롱꽃

의지할 이 하나 없는 차가운 도시
딱딱한 돌만 가득한 곳
바람에 휘둘리고 내팽개쳐진 날
너무 아파 울지 못했다.

조그만 틈을 찾아 뿌리를 내리고
한 줌 햇빛을 붙잡아 하루하루 살다 보니
스쳐 가는 빗방울이 정말 고맙고
야박한 돌멩이는 너무 미웠다.

이제 소리 없이 불 밝힌 초롱이 되어
갈길 몰라 헤매는 이에게
살아갈 희망 하나 줄 수 있어
혼자 피어도 외롭지 않다.

닥풀

첫 번째 꽃은 지고
두 번째 꽃이 피었다.

어디선가 섞여온 흙 속에서
움터 나오는 새싹을
뽑아 버릴까 하다가 내버려 두었다.

처음엔 나무인지 알았다.
단풍잎마냥 갈라진 커다란 잎
콩나물처럼 쑤욱쑥 크는 줄기
멀대 같아 꼭다리를 잘랐는데
이파리가 아닌 뭔가 나오더니
꽃이 되었다.

하마터면 닥풀을 죽일 뻔했다.
내버려 두면 저절로 자라고 피는데
모르면서 건드리고 괴롭혔다.

기둥이 되어 주는 것과
기둥이 되겠다고 나서는 것은
많이 다른 것을…

나팔꽃

출근길에 나무 기둥에서 환하게 빛나는 나팔꽃을 봤습니다.

아침에 화려하게 피었다가 저녁에 속절없이 저버리는 젊은 날의 풋사랑을 닮아 꽃말이 덧없는 사랑이라고 하네요. 오늘 꽃은 떨어져도 내일 다른 꽃이 다시 피어나는 것을 보면 영원한 사랑이어야 하지 않을까요?

넝쿨을 감아올릴 기둥이 없으면 나팔꽃은 죽는다고 하여 꽃말이 속박이라고도 한다던데, 저에겐 얽매는 것이 아니라 의지하는 것으로 보입니다.

오늘 당신 옆에서 환하게 웃고, 저녁에는 당신 품에서 잠들며, 내일 아침 또다시 즐겁게 깨어나 당신과 함께하고 싶습니다.

선인장(仙人掌)

마실 물도 없는 팍팍한 곳
머리 위로 내리꽂는 잔인한 햇살에
살아내야 하는 삶이 너무 모질어
날카로운 가시가 되었다.

바싹 마른 땅에서 악착같이 물을 끌어내
괴이한 모습으로 살아낸 넌
일거리를 찾아 새벽길을 나서는
굳은살 가득한 가장의 손

두꺼운 외투로 뜨거운 정열 가두었지만
넘치는 사랑을 어찌할 수 없어
황홀한 꽃으로 피었다.

숨쉬기도 힘든 날에
넋 놓고 바라보게 하는 넌
혹독한 세상을 벗어난
선인(仙人)의 인자한 미소

잡 생 각

킬링 타임

시간을 죽이고 있는데
어! 이것 봐라
내가 죽어가고 있네!
거친 피부, 푸석한 얼굴, 퀭한 눈, 볼록 배
안돼! 잘못했다.
다시는 안 그럴게
쉬지 않고 살아 움직일게
아껴주고, 버리지 않을게
제발! 살려줘!

장기판 졸병

후퇴란 없다.
한발 한발 내디딜 뿐이다.
가벼이 뛰지 않고 서로를 의지하면서
차근차근 묵묵히 갈 뿐이다.
합심하면 어느 누구도 함부로 대하지 못한다.
포탄이 쏟아져도 탱크가 나타나도
전우가 있어 무섭지 않다.
똑바로 못 가는 놈들이 자살 공격하지만
단결해서 이겨낸다.
전진! 전진이다.
마지막까지 살아남아
최후의 승리는 우리가 쟁취한다.
둘이 하나이다.
단결! 전진! 승리!

등산

저길 어찌 올라갈까?
도저히 갈 수 없을 것만 같은데
약수터에서 물이나 먹고 집에 갈까?

갈수록 힘은 들고
다리는 흔들려도
길은 있네.

과연 올라갈 수 있을까?
아무리 애를 써도
오르지 못할 것만 같은데

그냥 술이나 마시고 노래나 부를까?
올라갈수록 힘들어지고
몸은 지쳐가도 조금씩 앞으로 가네.

흐르는 땀방울이 바람에 날려갈 때
뒤돌아서서 저 아래를 바라볼 때

상쾌한 마음엔
아름다운 풍경이 들어오고

하나하나 이정표를 만날 때
걸어온 길을 가만히 되돌아볼 때
행복한 얼굴엔
잔잔한 미소가 머금어지네.

똥

더럽다 말하지 마라.
네가 맛있게 먹은 것
너에게 모든 걸 주고
마지막 찌꺼기로 남아
필요 없다고 버려지는 바로 그것이다.

네 머리에서 쏟아져 나오는 말이
더러운 것을

하수

못한다고 욕하지 마라.
얼마나 이기고 싶으면 죽는 줄도 모르고
뛰어 들겠냐.
한걸음 물러서서 보면 다 아는 것을
그렇게 무리수를 두니
이제 죽을 일만 남았구나.
욕심 때문에 그 좋은 판을 망쳐버리고
그나마 돌을 던질 줄 알면 다행인데
그마저도 못하고
모두에게 짜증만 주는 모습이 불쌍하잖아.
눈앞의 이익에 정신 못 차리고
실력도 없으면서 꼼수만 배운 놈은
판에 얼씬거리지 못하도록
눈을 부릅뜨고
엄격하게 잘라 내야 했는데
그걸 못한 우리가 잘못이지
누굴 탓하겠냐.

생사

1과 2가 만나 3이 되었네
3 다음엔 4가 있네
3과 4 사이는 아무것도 아니네
3을 즐기면서 4를 환영해야지
3을 넘어 4로 가는 것이 편안하기 위해
빗줄기에 잠을 설치는데
3은 왜 이렇게 지겹고
4는 왜 그렇게 가깝게 느껴지는가

팥빙수

빙수는 눈을 닮아야 한다.
우박처럼 알갱이로 흩어지면 하품이다.
함박눈처럼 푹 파이면서 포근한
부드러운 감촉이 어린아이 피부 같아야 한다.
이와 혀 사이에 헛도는 고명은 없어야 한다.
차가워도 쫄깃하면서 딱딱하지 않은
바삭하면서도 찌꺼기가 없어야 한다.
팥은 너무 달아 끈적거려서도 아니 되고
너무 푸석해서도 안 된다.
달아야 하지만 뒷맛이 개운해야 한다.
이런 팥빙수 만들어 줘~잉!

버려진 곰 인형

처음에는 듬뿍 사랑받고 행복했지!
항상 그 자리에 그대로 있었지만
달라붙는 먼지를 어쩌지 못하고
내리꽂는 햇살에 타들어 갔네.
아무리 이뻐도 익숙하면 지겨워지고
먼지가 쌓이면 버려지는 걸 몰랐지.
세월의 때를 벗겨내지 못하고
차가운 땅바닥에 버려진 모습이 처량하다.
세월에 찌들고 무기력해지면
스스로 떠나야 하는데…

향초

작은 바람에도 죽을 것 같은데
이 세상에 지킬 게 뭐 있다고
서럽게 눈물 흘리느냐?
악한 기운을 쓸어내고
맑은 향을 뿜어 내면서
마지막까지 아름다움을 지키고
남김없이 다 태우며
흔적 없이 사라지는
멋을 아는 넌 누구냐?

소똥구리

누군들 똥을 굴리고 싶겠냐
먹고 살려고 하는 게지
키워야 하는 애도 있고

꽃샘추위

샘내지 마라
이렇게 예쁜데
지켜만 봐도 즐거운데
뭐가 그렇게 꼬인 게 많아 가만두지 못하고
자라기도 전에 무참히 짓밟느냐
아무리 기를 써봐라 죽을 것 같냐
기어코 살아남을 거야
그 힘든 날도 견디어 냈는데
마지막 남은 어깃장 정도야
치졸하게 굴지 말고
졌으면 깨끗하게 물러가라
더럽게 춥네
꽃 피려면 아직 멀었는데
샘은 왜 내냐
추접스러운 놈
가라
보기 싫다

식물 키우기

씨를 땅에 묻고
물을 주고, 주고, …,
더 이상 할 게 없다.
잘 자라주길
기다릴 뿐.

해는 뜨고 바람은 부는데
바라만 보기 심심해서 툭 건드리다가
다칠까 두려워 물러나고
또 물을 준다.

모든 걸 주고 싶지만
물만 줄 수밖에
스스로 꽃이 피길
기다릴 뿐.

과하지도 부족하지도 않았으면 하지만
알지 못하고

지켜보다 또 물을 준다.

하늘이 정하는 것일까?
스스로 자라나는 것일까?
다시 물을 준다.

가랑비

무섭게 몰아치지 않아서 좋다.
안개같이 흐릿하지 않아서 좋다.
경쾌하게 걸을 수 있어 좋다.
상쾌하게 젖을 수 있어 좋다.
우산 속 연인들이 가볍게 다가서고
풋풋한 풀잎이 살짝 흔들리며
댕그르르 흘러내리는 물방울을
아무 생각 없이 바라볼 수 있어 좋다.
두득 두득 땅바닥을 두드리는 장단에
발은 저절로 움직이고
머리는 텅 비어 맑아져서 좋다.

물

너무 열 내지 마라.
다가온 이에게 상처 주고
넌 흔적 없이 사라질지니

너무 차갑게 굴지 마라.
다들 미끄러지고 넌 꼼짝달싹 못 할지니

그냥 그렇게 약간씩 열을 내라.
추워 떨 때 네가 있어 위안이 되게

그냥 그렇게 조금만 차가워져라.
화나는 일이 많을 때 너를 찾게

그렇다고 밍밍하지는 마라.
아무런 느낌도 없고 멋도 없으니

모든 곳에 담기고 모두를 받아주는
그런 모습으로 있어 다오.

묵은지

겉절이가 좋았었다.
풋풋하면서 아삭한 살아 있다는 느낌
바로 먹을 수 있어
기다리지 않아

이삼일만 지나면 싫어졌다.
흥건한 물에 푹 절어 축 처진 느낌
아무런 생기가 없어
왠지 쉰 것 같아

익은 김치가 좋아졌다.
원숙하면서 은은히 품어내는 느낌
어떤 찬에도 다 어울릴 수 있어
오래 두어도 쓸모가 많아

기다려야 하고
기다릴 줄 알아야 하는 것을 …

매미

얼마나 지났을까?
어둠만이 그득한 곳
수액으로 버티면서
마지막 비상을 위해
시간을 잊었다.

이 장마만 지나가면
볼품없는 몸뚱아리를 버리고
파란 하늘을 향해
목 놓아 외쳐보리라.

기나긴 세월
꿈틀거리면서 살아온 건
바로 내일
이 비 그칠 때
맘껏 날아보고 싶어서 라고

벼

익을수록 머리를 숙이는 까닭은
겸손해서가 아니라
머리가 굳어 무거워지고
점점 아는 것이 없어져서야

고개를 들어 누군가를 보면
아무도 다가오려 하지 않을 것 같아
그냥 땅을 보는 것이 편해

누렇게 생기를 잃어가는 것이 아쉽고
쌓여온 세월의 무게가 버거운데
그나마 허리라도 펼 수 있어 다행이야

밥이 되어 허기를 달래주고
떡이 되어 기쁨도 주며
술이 되어 흥도 주겠지만
그냥 씹히기도 하겠지

간혹 땅에 떨어져
새의 모이가 되거나 썩어 가겠지
다음 해에 모가 될 행운은 있을까

돌멩이

언제부터 여기에 있었는지 모르겠다.
이리 튕기고 저리 처박히다 보니
날카로운 이빨은 빠져버리고
뭉툭한 몸뚱이만 남아 부드러워 보인다.

누군가의 손에 붙잡히면 유리창이 깨지고
누군가의 눈에 들면 고운 장식품이 된다.
솜씨 좋은 아낙네의 눈에 띄면 굄돌이 되고.
심심한 아이의 손에 붙잡히면 물수제비가 된다.

무심한 발걸음에 번번이 채여 뒹굴다가
소리 없이 다가온 물방울에 밀려
언젠가는 산산이 부서지겠지.

손목시계

일이 급해 서둘러 나왔는데
뭔가 허전하다.
손목에 시계가 없네.
시간을 알아야 하는데 괜히 불안하다.

시계가 무거웠나 보다.
손목이 편해 좋다.
시계가 느껴지지 않아 좋다.

몇 시인지 보려고 스마트폰을 봤는데
시간은 안 보고 웹서핑만 하고 있네!
끊어낼 수가 없다.
저리~가!

세상과 소통하는 도구인가?
나를 얽어맨 족쇄인가?

건널목 옆 의자

잠시 쉬었다 가세요.

아주 작은 의자이지만
쉼 없이 달려온 그대
잠시 쉬었다 가세요.

감당하기 힘든 짐을 지고
묵묵히 걸어온 다리
잠시 쉴 수 있게 해주세요.

곧 신호등은 바뀌고
또 먼 길을 가야 하는 당신
잠시 쉬었다 가세요.

칼날 같은 추위에 마음은 힘들어도
잠시 쉬면 한 발 내디딜 힘이 생겨요.

험난한 저 길을 건너가기 전에
걸어온 길을 잠깐 바라보면서
잠시 쉬었다 가세요.

아이와 인형

해바라기처럼 웃는 아이의 손에 매달린
커다란 인형은 행복했습니다.
다정한 아이와 깔깔거리며 즐거웠습니다.

빨갛게 핀 꽃을 본 아이는 달려가고
그만 인형은 아이의 손을 놓쳐버렸습니다.

빨리 오라는 엄마 소리에
아이는 인형을 잊어버리고

인형은 하염없이 기다립니다.
날 기억해줄 것이라 믿으며

아이는 인형을 찾아달라고 잠시 보채다가
다른 장난감과 즐겁게 놀고
아무도 인형을 기억하지 않았습니다.

시작

항상 처음이 힘들더라
시작만 하면 어떻게든 굴러가는데
매년 해 오던 것이어도
다시 하려니
뭐부터 해야 할지…
이런 걱정이 새로운 변화를 이끌어
발전해야 하는데…
지나고 나면
늘 그대로
아쉬움만 남더라

붕어빵

우리는 붕어빵이라 말하는데
파는 곳은 잉어빵이라 적어 놨다.

옛날에는 손바닥 정도 했는데
이제는 송사리만한 걸
미니 잉어빵이라 한다.

찬바람 불면
천원으로 따뜻한 붕어빵 한 봉지 사서
언 손을 녹이면서 허기를 달랬는데

이제는 삼천 원으로 미니 잉어빵 여섯 개
허기는 채울 수 없고 추억만 먹는다.

사　랑

보고 싶다

창문 너머로 지나가는 사람을 본다.
종종걸음, 팔자걸음, 축 처진 걸음
아무 데도 속하지 못하고
우두커니 바라만 본다.

연락해 볼까? 뭐라 할까?
갑자기 생각나서…. 음
보고 싶다고 말할 수는 없고
그만 생각하자.

따뜻한 아랫목에 등을 붙이기에는 너무 젊고
거리를 헤매기는 너무 늙은
딱히 오갈 데가 없다.

심심할 땐 항상 생각난다.
오만가지 상상이 허상임을 알지만
너랑 함께라면….
그만 그만 그만하자.

벙어리

사랑한다.
말하기에는 너무 애틋하여
고이 묻어두고
가끔 말해 볼까 망설이다가
그냥 품어둔다.

다가서면 이마저도 못할까 봐
바라보면서 맴돌다가
끝내 돌아선다.

농담으로 살짝 보였다가
웃음으로 애써 감추고
하지 못한 말
사랑한다.

12월 1일

혼자 사는 두 사람이 만나 하나가 된 날
아무런 계획 없이 여행을 떠나고
그렇게 새로운 삶이 시작되었습니다.

노란 은행잎이 바람에 밀려
가을이 떠나갈 때
첫아이가 태어나
따뜻하게 겨울을 보냈습니다.

나만을 위해 서울을 오고 가다가
아직은 쌀쌀한 봄에 둘째가 태어났지만
갑자기 입원한 나를 위해
산후조리도 못 한 상태로
눈물 흘리게 하여 미안합니다.

십 년 만에 그날을 기념한 여행은
평범한 바닷가에 그저 그런 곳이었지만
오랜만에 맞본 즐거움이었습니다.

끝까지 갈 것만 같은 다툼이 있었지만
아픔을 겪으면서 서로를 이해하고
이제는 아이들도 떠나갈 때
혼자 살던 둘이 하나가 된 날
이십 년 넘게 가본 적 없는 그곳을
꼭 가보고 싶습니다.

가을비

조용히 비 내리는 밤
그대랑 걸을 수 있어 좋아

가로등에 비친 노란 은행잎은
아련한 추억을 되살리고
함께 쓴 우산 속은
우리의 마음으로 따뜻하네

스치는 바람은
나무를 흔들어
예쁜 꽃비를 내려주네

인연

생각해 줘서 참 고마워
마음에 간직해 줘서 정말 고마워
억겁의 인연을 맺어
지금 만나 같이 살 수 있어 행복해
이 생에 좋은 삶을 살아
다음 생에도 우리 만나자
바로 당신이 있어
어려워도 힘들어도
함께 할 수 있어 좋다
언제든 당신의 쉼터가 되었으면 해

소망

그대
그 자리에 머물러 있어 주오
그렇게 환하게 웃어 주오
그런 마음으로 같이 가 주오
그러다가 거리를 헤맨 날 품어 주오
그 먼 날에 손잡고 거닐어 주오
그날까지 행복해 주오
그저 따뜻하게 살아 주오
그 마지막까지 함께 해 주오

그럼 난 한결같이 있겠소
그냥 즐겁게 웃겠소
그럭저럭 생각 없이 지내는 것 같지만
그대와 함께 마음을 나누면서
그대를 느끼면서 살고 있다오

수호천사

님이 있어 힘차게 살아갑니다.

긴 세월을 그저 바라만 보면서
묵묵히 곁을 지키면서
영원히 님은 몰라도
언제든 다 드리겠습니다.

비바람 불면 우산이 되고
눈보라 치면 두터운 외투가 되어
모든 어려움을 함께 하겠습니다.

언젠가 무서리 내리고
국화가 필 때
더는 줄 것이 없으면
몸의 온기를 드리겠습니다.

해바라기

난 말이지
니가 참 좋아

조그마한 것에도 해맑게 웃고
별것 아니어도 기뻐하는
니가 참 좋아

안 봐주면 뾰로통해하고
사소한 거짓말에 쉽게 속아주는
니가 참 좋아

언제나 품어주고
그윽하게 바라보는
니가 참 좋아

소소한 일상을 즐겁게 말해 주고
항상 믿어주는
니가 참 좋아

부족한 내가
소중한 건
니가 있어서야

난 말이지
너랑 함께 할 수 있어
정말 좋아

혼인 서약

우리의 세계가 하나 됨을 선언합니다.
뿌리가 다르지만 몸이 하나인 연리목처럼
맞잡은 두 손을 평생 놓지 않으며
당신의 쉼터가 되고 든든한 의지가 되겠습니다.
이 순간을 위해 억겁의 세월을 달려왔기에
모든 걸 함께 하겠습니다.
나의 중심에 당신이 있고
당신의 가슴에 내가 있기에
이 믿음을 영원히 간직하며
당신의 성장에 자양분을 보태겠습니다.
당신의 얼굴에 주름이 잡히고
내 머리에 하얀 눈이 쌓일 때
오늘을 생각하며 환하게 웃으면서
잔치할 것을 다짐합니다.

삼천 원의 행복

꽃을 사면서 물었다.
어떤 꽃이 이쁜가요?
꽃은 다 이쁘지요!
아 그렇지.
예쁘지 않은 사람이 어디 있나?
마음만 열면 다 사랑스러운걸
불쑥 내민 꽃 한 송이
와 예쁘네!
해맑은 웃음이 피네.

남이섬

비가 추적추적 내리는 아침
가야 하는 부산을 내팽개치고
가을을 향해 무작정 나섰습니다.

아무 계획 없이 버스를 탔지만
따뜻한 이와 함께 앉아
조용히 말할 수 있어 좋았습니다.

구름을 머금은 산은 가을이 이르지만
하늘을 품은 강 옆 나무엔 가을이 절정이고
당신의 머리 위엔 겨울이 와 있었습니다.

비에 젖은 통나무 다리에 서서
양팔을 벌리고 해맑게 웃는 모습을
사진으로 남기면서 가을을 만났습니다.

잠시 삶의 온기를 느끼고
일상으로 돌아가는 버스에서
흐뭇한 눈으로 당신을 바라봅니다.

부산행

이게 마지막이라 해도
미치지 않고는 견딜 수 없어도
여기서 끝날 수 없는데

님아 님아
목놓아 부르고 가슴으로 울고
멀리 눈으로 부둥켜안아

사랑한다 사랑한다
잘 살아야 해 꼭 살아야 해

혼백이 몸을 떠날 때까지
이렇게 죽어도
널 지키려 기꺼이 몸을 던진다

반드시 살아
우리의 사랑을 지켜다오
사랑한다 사랑한다

님아 그 강을 건너지 마오

가지 마오

가거든 먼저 간 우리 아이 챙겨주소
곧 갈 테니 조금만 기다려 주오
예쁜 옷 태워 보내니 따뜻하게 입으세요

낙엽 던지며 웃고
꽃 꽂아 주며 웃는
물장난에 해맑게 웃는 모습이
가슴 시리게 그리워

나뭇가지엔 눈이 쌓이고
그 아래 무덤은 황톳빛

가다가 뒤돌아 보고
한걸음 가다가 또 돌아보고
끝내 발걸음 떨어지지 않아
주저앉아 하염없이 우는데

사랑

마음에 고이 담아
쑥스럽게 말하는
말하지 않아도
느끼면서
믿고
고마워
당신 덕분에
힘들어도 살 수 있어
더불어 친구가 되어 영원히
우리 함께 마주 보고 나란히 같이 가자

님

안개처럼 소리 없이 다가와
없는 듯 살며시 스며든 그대

꼭두새벽 구름 속 수줍은 해처럼
뜨겁게 다가온 그대

어느 날 갑자기 다가온 첫 입맞춤은
가슴에 영원히 남고

아픈 나를 보며 발 동동 구르던 모습은
잊을 수 없는 사랑이 되었네

함께 하지 못함에 심통부리고
우렁각시 되어 챙겨주는 님

떨어져 있어도 옆에 있는 듯
포근한 마음에 어려움은 사라지고

너무 익숙해서 말은 안 해도
같이 살아 온 세월만큼 고마워

삶에 지쳐 즐겁게 해주지 못하고
힘들게 해서 미안해

따뜻한 화롯불 같은 마음을
나란히 걸어가며 잡은 손에 담아….

박여사

퇴근하다가 갑자기 생각나 전화를 걸었다.

어디야?
　종로 6간데 무슨 일이야!
잘됐다. 같이 가자.

청계천에는 조팝나무가 하얗게 피었고
목을 쭉 뺀 왜가리는 발길을 붙잡는다.

손을 잡았다 놓았다 하면서
말 없이 걸었다.

김밥 한 줄과 잔치국수로 저녁을 먹었다.

봉정사 극락전

이 집을 지을 때 생각했을까?
칠백 년 동안 살아 있을 거라고

내버려 두면 금방 무너지는데
사람이 살아야 집이 산다고 하던데

끊임없이 닦고 다듬은 이가 있어
이렇게 긴 시간 버텨왔겠지!

쉼 없이 가다듬고 고쳐주는 이가
나에겐 당신인 것 같다.

바다

파도치는 바다에
조그마한 배를 같이 타고
바람을 맞으며 행복했습니다.

거칠게 덮쳐오는 파도에도
따뜻한 포옹으로 가볍게 넘어가고
넓게 드리운 사랑으로 돛을 세워
사나운 바람도 즐겁게 만났습니다.

비로 무거워진 몸을
눈가에 얽히는 웃음으로 말리면서
거친 바다를 함께 건너갑니다.

너는

모든 것이 애틋했다.
웃을 때 벌어지는 입이
두부를 사는 마음이
방방거리며 화내는 모습이

다 보기 좋았다.
하회탈을 닮은 눈이
챙겨주는 마음이
힘차게 걸어가는 모습이

하나하나가 뜻깊었다.
해맑게 웃는 얼굴이
반찬을 만드는 마음이
그림을 그리는 모습이

어 머 니

늦가을의 이별

멀리 가는 뒷모습을
멍하니 바라보는데
눈물이 툭 떨어진다.

가슴에 묻을 수밖에 없어
물끄러미 쳐다보는데
붉은 노을 어린다.

깡소주로 마음 적시고
뿌연 담배 연기 토해내도
스산한 바람이 파고든다.

애써 지어낸 웃음엔
안타까움이 가득하고
퀭한 달이 뜬다.

초록을 죽여 붉게 피어났지만
이제는 앙상한 뼈만 남아
하얀 눈을 기다린다.

외로움

동그란 눈에 외로움이 가득하네요.
평생 혼자 살아 꿋꿋하지만
찾아오는 이 없네요.
땡비 같은 말로 가슴을 후벼파지만
따뜻한 마음으로 늘 베풀고 있네요.
기댈 곳 하나 만들지 못하고
어쩔 수 없는 팍팍한 삶을
숙명으로 받아들이면서
묵묵히 세월을 견디었네요.
흐릿한 창가를 무표정하게 바라보는 모습에
알 수 없는 설움은
메마른 눈물로 하염없이 흐르고
어차피 홀로 죽어간다고
애써 달래보지만
외로움은 어쩔 수가 없네요.

엄마의 눈물

아들! 한번 안아보자
많이 힘들었지!
웃으면서 흔들리는 눈 속에
감추려는 마음이 그렁그렁 맺힌다.

말썽 한번 피우지 않았는데
홍역 치른다고 생각해
네가 크면서 나도 커가는 것 같아
참지 못하고 댕그르르 흘러내린다.

이제 내 품을 떠나야지
잠깐 실수했지만 잘할 거라 믿어
먼 훗날 웃으면서 말할 수 있을 거야!

소리 죽인 흐느낌이 너무 아프다.

일식 삼찬

오늘 반찬은 배추, 알타리, 무생채
무우국이 있어 퍽퍽하지 않았다.

반찬 세 개는 사치인 것 같았다.
물에 밥 말아 김치만 먹는 날도 많았다.

사람이 그리워 텔레비전을 틀어놓고
목소리가 듣고 싶어 볼륨을 높였다.

하루하루 지내는 것이 지겹다.
살아 있으니 그냥 먹었다.

개미 한 마리 찾아오지 않는 날
달력이 있어 날짜를 알 수 있었다.

내일엔 올까?
내일이 올까?

달팽이처럼

어떻게든 살 수 있더라
너무 힘들어 죽을 것 같아도
숨 크게 쉬고 하늘을 보면
어떻게든 걸어갈 수 있더라

앞은 보이지 않고
힘이 풀려 주저앉으면
다가와 먹을 걸 주고
일으켜 손잡아줄 누군가는 있더라

똥을 싸질러서
너무 부끄러워 죽고 싶어도
시간이 가면 그럭저럭 잊혀지고
어떻게든 살아지더라

천천히 아주 천천히
조금씩 아주 조금씩
한 발짝 하안발짝만 내디디면
어떻게든 앞으로 가더라

가을 하늘

죽음을 준비하는 가을
파란 하늘에는 솜털 구름 떠 있고

얼마 남지 않은 삶
고이 보내려고
예쁘게 치장하는 단풍은
왜 이렇게 서글프냐?

죽어가는 걸 사랑하던 시인은
스쳐 가는 바람에 괴로워하고
별을 노래하는 마음을 가졌는데

꺼져가는 불꽃을 바라보는 마음은
붙잡으려 애를 쓰다
애간장만 끊어내고

가슴 시린 파란 하늘은 말이 없는데
하얀 구름만 저 혼자 가네

장례식

밤새 뒤척이다가 새벽에 잠깐 잠들었다.
전화 소리에 깼으나 받지 못했다.
두 번째 전화는 받았다.
병원에서 빨리 오라고 한다.

허둥지둥 나와 택시를 탔다.
평상시와 같았다.
인공호흡기를 빼고는 모든 것이 비슷했다.
손에 힘이 없었지만 따뜻했다.

간호사가 잠깐 나가 있으라 한다.
가족이 모이고 다시 갔을 때는
이불이 덮여 있었다.

병원에서 나오는데 비가 내린다.
하루 종일 비가 내린다.

정신없이 하루를 보내고

다음 날 아침 9시에 모두 모였다.
얼굴에 보자기를 덮어쓰는 모습을 지켜봤다.
비가 내린다. 모두 비에 젖었다.

찾아오신 분들이 고마웠다.
평생 외롭게 사셨는데
많은 분들과 함께해서 좋아하실 것만 같았다.
보내주신 꽃들이 고마웠다.
꽃을 좋아하셨는데
꽃을 보고 흐뭇해하실 것만 같았다.

그다음 날은 날씨가 좋았다.
한 줌의 재만 남았다.
따뜻했다.
멀리 한강이 보이고 뒤에는 용문산이 있다.
365번 소나무 옆 자그마한 구덩이
흙으로 덮어 드렸다.

그리움만 남기고
왔던 곳으로 돌아 가셨다.

겨울 이별

추운 것이 아니라 슬픈 거야

눈이 내려
함박눈이 내려
눈물이 흘러 가는 곳은
따뜻했으면

어쩔 수 없이
헤어지는 날
혼이 나가야
견딜 수 있는 시간
잡을 수 없는 걸 알기에
고이 보내고
넋 놓아야
숨 쉴 수 있네

더 불 어

분식

우중충한 날엔 옛날 생각이 나
밀가루가 칼국수로 변하는 기적을 보면서
걸쭉한 국물이 가려운 목을 긁어주던 맛
이젠 집에서 못 먹고 외식을 해야 하네

그땐 그랬어
분식을 먹어야 된다고
도시락을 가지고 다녀야 했지
보온 도시락은 부의 상징이었고
보리밥이 아닌 쌀밥이면 매를 맞았지
계란은 밥 밑에 깔아야 했고

이젠 기억도 가물가물해
재빨리 먹으려고 젓가락질을 배웠고
맛있는 반찬은 몰래 숨겨야 했지
어떤 놈은 젓가락만 가지고 다녔어
맨날 김치만 먹으면서
어쩌다 쏘세지를 보면 전쟁이 났지

라면도 서로 먹으려고 다툼이 심했는데

이젠 혼식은 웰빙이 되고
분식은 별식이 되었네

그네

거무틱틱한 해가 뜬다.
앙상한 나무엔 바람이 걸려 울고
갈 곳 잃은 새는 넋을 놓는다.
하얀 개는 힘없이 멍멍거리고
땟국물 흐르는 손에 이끌려 간다.
찾아오는 사람 하나 없는 놀이터에
그네는 저 혼자 찬바람에 흔들리고
눈은 내려도 금방 검어진다.

세월호

서럽게 비가 내린다.
말라버린 눈은 벌겋게 물들고
억지로 다문 입은 저절로 꺽꺽거리는데
한 많은 세월은 차갑게 식어가고
따뜻했던 가슴은 시퍼렇게 멍이 든다.
잊혀지는 것이 아니라
묻어두는 것이라 했나
아무것도 할 수 없는 날이 또 저문다.

견우에게

어두운 밤
뼈가 아리는 추운 겨울
먼 하늘에 어리는 당신이 사무쳐 웁니다.

다시 만나는 그날
곱게 차려입을 새하얀 옷을 만들기 위해
오늘도 베틀 위에 앉아
마음에 묻어둔 당신을 새기고 있습니다.

갈라진 세월이 너무 멀어
끊어질 것만 같은
희망을 놓치지 않으려고
칼바람 부는 꼭두새벽
정한수 앞에 기도합니다.

은하수 너머 땀 흘리는 당신
희미한 별빛바라기 되어
보낼 수 없는 사랑을 보냅니다.

오작교를 기다릴 수 없어
지성으로 징검다리를 만들며
한 걸음 한 걸음 다가가고 있습니다.

웃으며 만나는 그날
가슴 으스러지게 안아보겠다고
절대로 헤어지지 않겠다고 다짐합니다.

마지막 사랑

남아 있기에 슬픈 거야
마지막 순간을 품에 감추고
같이 했던 추억은 묻어버리고
어거지로 웃어야 살 수 있어

떨어지지 않는 발을 달래
아무런 일도 없었던 것처럼
뒤돌아 멍하니 하늘을 보면
왜 이렇게 파란지

놓아버리고 싶지만
살아야 하기에
영원히 감추면서
아무도 모르게 울어

떠나는 이는 떠나는 대로
흐르는 물처럼
바람에 실려 가는 구름처럼
가게 내버려 둬야 하겠지

사월(死月)

속절없이 져버린 하얀 꽃잎 사이로
비는 뚝뚝 떨어지고
서로의 마음은 장벽으로 막혀
아무것도 할 수 없는데
피를 머금은 철쭉은 진한 독기를 풍기고
한 치의 양보도 없는 사람들이
아귀로 변하는 밤
검은 달이 떠서 죽어간다.

광화문(光化門)

조그마한 촛불을 치켜든 사람들 사이로
소리 없이 비가 내리고
목 터지도록 외치는 함성에 메아리는 없다
다들 긴장감은 없고 즐기는 것 같은데
분노를 축제로 만드는 위대한 백성을
묵묵히 지켜보는 光化門은 예언일까
光은 사람이 횃불을 들고 있는 모습이고
化는 산 사람이 죽은 사람으로 윤회하며
변해가는 모습이라 하는데
저마다 촛불 들고 즐겁게 노는 지금
진정 빛으로 하나 되는 순간인걸
이곳이 光化임을 옛날에 어찌 알았을까

삼보일배

정말 걷기 싫은 길
뙤약볕 내리쬐는 신작로를
땀 삐질삐질 흘리면서 갑니다.

사람에 떠밀려 가는 길
아스팔트 위는 뜨거운 바람이 불고
뿌연 먼지를 뒤집어쓰며 갑니다.

이루어야 할 그것이 간절하여
그냥 걸어가지 못하고
매번 엎드려 기원하면서 갑니다.

온몸을 던지면서 가다 보면
마음이 모여 하늘을 움직여서
뜻이 이루어질는지…

이거라도 하지 않으면
죽을 것 같아
몸부림치며 갑니다.

양규 장군은 어떤 생각을 했을까?

홍화진으로 사십만 명이 몰려오는데
삼천 명으로 상대할 수 있을까?
두렵다.
버티자.
항복하면 어차피 죽을 것 버티자.

곽주성이 함락되고
적들이 남하했다고 하는데
어찌할까?
기습하면 승산이 있을 거야.
칠백 명으로 가보자.
이겼다.
육천 명이나 지키고 있었다니!

여기서 지키고 있을까?
우리 가족이 적에게 끌려갔는데
나만 편안하게 있을 수는 없다.
끝까지 가보자.

무로대, 이수, 석령, 여리참, 애전을
거쳐 오면서
일곱 번 싸워 육천오백을 베고
삼만을 구했다.
아직 구해야 할 백성이 많다.

적이 온 지 두 달이 지났다.
춥고 지친다.
함께 한 이들은 모두 쓰러졌다.
고맙다.
지켜주지 못해 미안하다.

화살이 우박처럼 쏟아진다.
우두득 고슴도치가 되었다.
이를 악물어도 서 있을 힘이 없다.
칼에 지탱하여 간신히 적을 보니
저들도 참 가엾다.

경찰관

누가 이들을 힘들게 하는가?
지켜야 하는 것이 뭐가 있길래
이들을 줄 세우는가?
누가 칼날 같은 뙤약볕을
우산으로 막으라 했나?

차마 대들지 못하고
저 멋진 하늘도 못 보고
자동차가 내뿜는 먼지를 마시면서
저들은 무슨 생각을 할까?

이유가 있겠지
누군가의 꽉 막힌 아집이 아닌
우리가 모르는 이유가 있겠지
저렇게 줄지어 서 있어야만 하는
무슨 이유가 있어야만 하겠지

그래도 태양이 싫은 날에
우산 하나 달랑 들고
이들을 서 있게 한 그가 밉다.

자살

거쳐온 삶이 너무 힘들어
돌멩이 하나에 쓰러지고
내뱉은 말이 너무 무거워
숨을 끊어내는구나

별장에서 벌거벗고 춤을 추어도
당당하게 살고
이십구만 원밖에 없어도
골프치고 잘살고 있는데

거짓말 좀 했다고
선 좀 넘었다고
스스로의 모멸감을 견디지 못하네

착한 사람은 울타리를 넘지 못하고
악한 사람은 넘지 못할 담이 없구나

시월(屍月)

눈물은 흘러 어디로 가나?

아부지 놀러 갈게요
그래 잘 갔다 오거라
마지막 인사는 울음이 되고
뻥 뚫린 가슴은 바닥을 모르네

살아만 있어라
살아 돌아올 거야
떠나버린 아이를 온몸으로 막아서도
대답은 없고 메아리만 돌아오네

잔인한 死月은 끝없이 싸우다가
끔찍한 屍月이 되어 돌아왔네
다시는 아프지 않을 거라 약속했는데
또다시 한을 품게 되는구나

눈물은 흘러 가슴으로 가네!

걸어가다

발　행 | 2024년 08월 12일
저　자 | 이상진
펴낸이 | 한건희
펴낸곳 | 주식회사 부크크
출판사등록 | 2014.07.15.(제2014-16호)
주　소 | 서울특별시 금천구 가산디지털1로 119 SK트윈타워 A동 305호
전　화 | 1670-8316
이메일 | info@bookk.co.kr

ISBN | 979-11-419-0052-6

www.bookk.co.kr
ⓒ 이상진 2024